LES VERTES DE SYDNEY

MAXIM CYR & KARINE GOTTOT

LES DRAGOUILLES

LES VERTES DE SYDNEY

6

ÉDITIONS
MICHEL
QUINTIN

Mot des auteurs

Bonjour, chers voyageurs !

Bienvenue en Australie parmi les dragouilles vertes de Sydney. Comme ce pays se situe dans l'hémisphère Sud, de l'autre côté de la planète, nous avons décidé d'écrire ce tome la tête en bas et les pieds dans les airs. Aïe ! Les idées nous sont vite montées au cerveau et les fourmis nous ont envahi les orteils !

Pour cette aventure, nous nous sommes empressés de revêtir nos combinaisons de plongée sous-marine, car Sydney est une ville d'eau. Elle se situe dans une immense baie en bordure de l'océan Pacifique et est aussi traversée par le fleuve Parramatta. Bref, à Sydney, l'eau n'est jamais loin !

Le climat de cette grande métropole où vit un Australien sur cinq est très agréable. Ce qui est délirant, c'est que les saisons sont inversées par rapport à l'hémisphère Nord. L'hiver commence au mois de juin et l'été au mois de décembre. Le père Noël peut donc livrer ses cadeaux en maillot de bain !

Prenez une bonne respiration et plongez avec nous dans le tome 6 !

- ***Max*** et ***Karine*** -

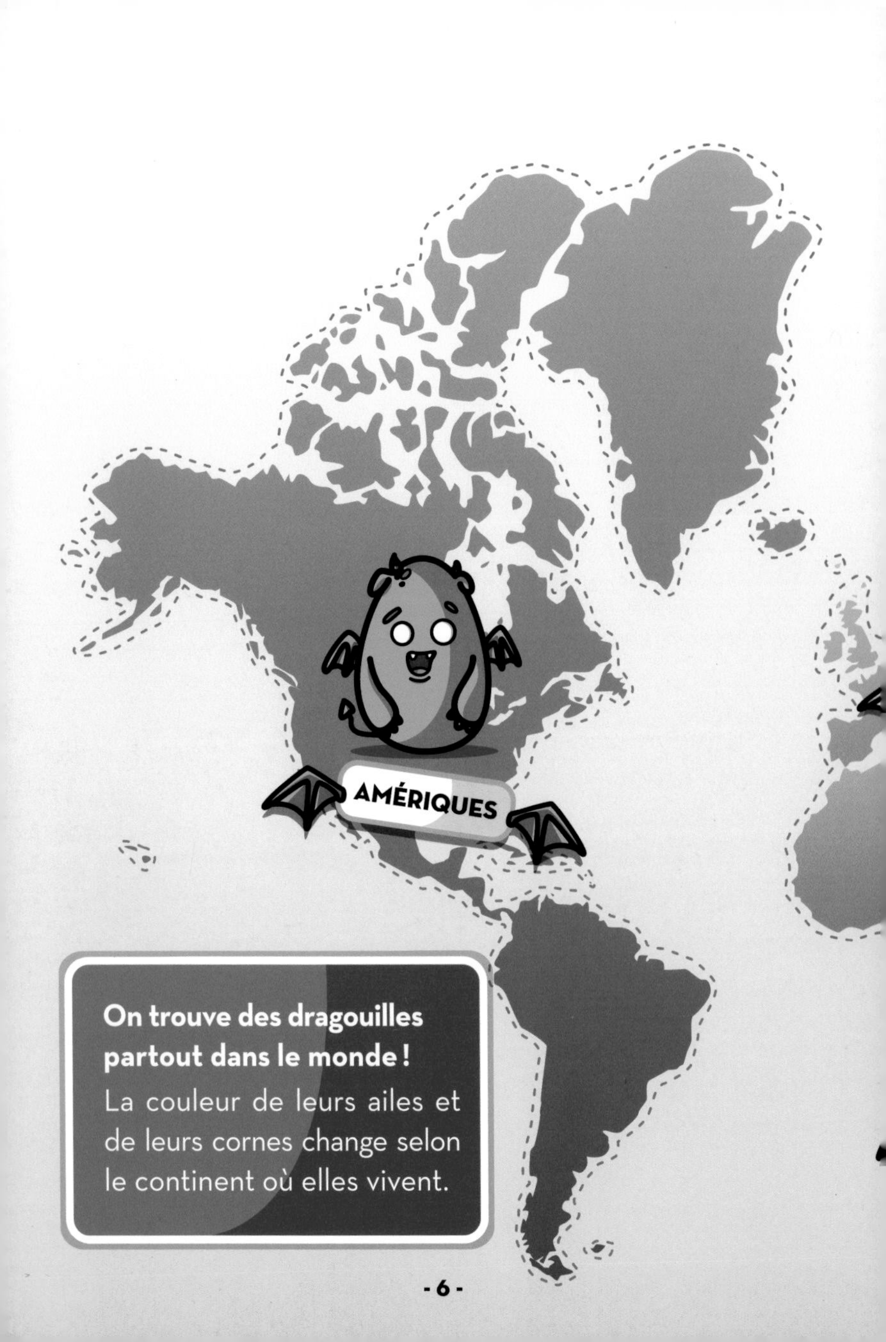

On trouve des dragouilles partout dans le monde !

La couleur de leurs ailes et de leurs cornes change selon le continent où elles vivent.

EUROPE
ASIE
AFRIQUE
OCÉANIE

Voici les dragouilles que tu vas rencontrer :

Les jumeaux

Les jumeaux se croient les pros des jeux de mots. Pourtant, ils sont souvent les seuls à se trouver rigolos !

L'artiste

C'est la plus créative de la bande. Elle dessine partout, même sur sa voisine !

La branchée

Voici la dragouille ultra-tendance. Tellement branchée qu'elle électrise tout sur son passage.

La geek

Cette dragouille a hérité d'un petit extra de neurones entre les deux oreilles. À elle seule, elle fait remonter la moyenne du groupe !

Le cuistot

Cette dragouille à toque sait cuisiner bien plus que du poisson ! Pâté d'anchois à la sauce poubelle, ça te dit ?

La rebelle

La rebelle est la dragouille casse-cou et casse-tout. Elle ne craint rien ni personne. C'est une sacrée friponne !

Les vertes

Ces dragouilles qui vivent à l'autre bout du monde ont davantage la tête en l'air que la tête à l'envers. On ne sait pas si c'est l'agréable climat de Sydney ou la petite brise marine qu'on y ressent qui les rend si cabotines.

Les dragouilles australiennes semblent avoir avalé des ressorts parce que, tels les kangourous, elles sont toujours prêtes à bondir vers de nouvelles aventures.

Ne devrait-on pas avoir la tête en bas puisqu'on est de l'autre côté du globe?

LES JUMEAUX

Bouh !
Ahhh !

Mais non, reviens ! Je plaisantais !

Mais quel est cet accoutrement ridicule?
C'est mon maillot de bain!

Pourquoi pleures-tu ?

L'émeu m'émeut !

Dis, c'est quoi cet immeuble là-bas?
Un musée.
Que trouve-t-on dans un musée?
Je ne sais pas...
... sûrement des trucs usés!

Ça va ?
Non.

Je me suis fait mal.

Où ça ?
Là-bas !

C'est de l'anglais «Aussie»

En Australie, on parle l'anglais. Toutefois, certaines expressions locales lui donnent un caractère bien distinctif.

EN VOICI QUELQUES-UNES QUE LES JUMEAUX ONT DÉNICHÉES SPÉCIALEMENT POUR TOI :

GOOD DAY MATE
SALUT MON AMI

AUSSIE
AUSTRALIEN(NE)

OZ
AUSTRALIE

ROO
KANGOUROU

YAKKA
TRAVAIL

BARBIE
BARBECUE

LOLLIES
SUCRERIES

MOZZIE
MOUSTIQUE

ARVO
APRÈS-MIDI

De quoi avoir le cafard !

LE PLUS GROS CAFARD DU MONDE VIT EN AUSTRALIE.

Il s'agit du cafard rhinocéros. Il mesure environ 9 cm de long et pèse aux alentours de 35 grammes. Ce gigantesque insecte peut vivre jusqu'à 10 ans.

Le cafard rhinocéros ou cafard géant est maintenant vendu dans certaines animaleries d'Australie. Des personnes choisissent cette bestiole comme animal de compagnie tout comme d'autres élèvent des mygales. Selon des spécialistes de la vente d'animaux de compagnie, la demande pour les cafards géants a augmenté au cours des cinq dernières années.

Ce phénomène s'explique peut-être par le fait que les logements sont de plus en plus petits et que des cafards occupent moins de place qu'un chat ou qu'un chien.

Reste à savoir si on peut leur enseigner à donner la patte !

BEUUUUURK !

BOOM BOOM BOOMERANG

LE PLUS VIEUX BOOMERANG FAIT DE BOIS A ÉTÉ DÉCOUVERT DANS UNE TOURBIÈRE D'AUSTRALIE. IL AURAIT 11 000 ANS.

Le boomerang est un bâton qui, une fois lancé, effectue une trajectoire courbe qui le fait revenir vers son point de départ. Il est constitué de deux pales unies par un coude. Bien qu'il soit souvent associé à l'Australie, le boomerang fut utilisé par d'autres civilisations et à différentes époques. Des objets comparables dont les extrémités étaient recouvertes d'or ont été trouvés dans la tombe du 11e pharaon d'Égypte, Toutankhamon.

L'origine du boomerang australien demeure incertaine. Les aborigènes, premiers habitants de l'Australie, auraient éventuellement modifié un des outils de bois qu'ils utilisaient pour chasser, dépecer de la viande et creuser. Cette modification, intentionnelle ou non, aurait fait vriller l'objet, lui donnant ainsi une nouvelle forme et des caractéristiques permettant le retour. Voyant cela, les aborigènes en auraient fait un jeu d'adresse et un instrument pour chasser

Aujourd'hui, les boomerangs sont fabriqués avec différents matériaux comme le plastique et le bois. Des compétitions sont organisées dans plusieurs pays à travers le monde. Elles comprennent des épreuves qui tiennent compte de la vitesse du lancer, de la précision, de la durée de la trajectoire et du style de rattrapage du boomerang.

Tout le monde peut réussir à lancer et à rattraper un boomerang. Pour y parvenir, il faut simplement un peu de patience et plusieurs essais. Évidemment, il est préférable de s'exercer dans un terrain désert en choisissant une journée où le vent ne souffle pas trop fort. Si tu tentes l'expérience, fais attention aux gens autour de toi, car la

L'artiste

Que fais-tu ?
Je cire ma planche.

Qu'est-ce que
vous faites ?
On répète une
pièce de théâtre.

Aïe ! Pourquoi
tu m'as donné
un coup ?

T'as eu un
coup de soleil !

MARÉE HAUTE, MARÉE BASSE

La marée est le mouvement montant et descendant des eaux des mers et des océans. Elle est engendrée par les forces de gravitation du Soleil et de la Lune. Ces deux astres attirent les grandes masses d'eau de la Terre vers eux. Lorsque l'eau monte sur le rivage, on parle de marée montante (marée haute), et quand elle se retire vers la mer, on parle de marée descendante (marée basse).

Moi aussi, je peux
être mignonne !

Le didgeridoo, un instrument vibrant

LE DIDGERIDOO SERAIT L'UN DES PLUS VIEUX INSTRUMENTS À VENT DU MONDE. IL FAIT PARTIE DE LA FAMILLE DES AÉROPHONES.

Cet instrument est utilisé depuis des millénaires par les aborigènes lors de cérémonies. Ce sont plus spécifiquement les tribus du Nord qui en jouaient.

« Didgeridoo » est un mot d'origine onomatopéique qui aurait été inventé par les colons occidentaux. Il rappelle les sons que l'instrument peut émettre. À l'origine, le didgeridoo était fait à partir d'un tronc ou d'une branche d'eucalyptus creusé par des termites. De nos jours, le didgeridoo est fabriqué à partir de différents matériaux comme le bambou, le métal et le verre.

IL GAGNE EN POPULARITÉ PARTOUT DANS LE MONDE.

Chez les adeptes, on le surnomme « didge ». Pour en jouer, le musicien doit souffler en faisant vibrer ses lèvres sans les pincer. La vibration ainsi créée constitue le son de base que l'on appelle le bourdon.

En utilisant la technique de la respiration continue ou la respiration circulaire, le musicien doit maintenir la vibration. Ces techniques lui permettent de garder un souffle d'air continu et de jouer sans s'arrêter, même quand il inspire. **Incroyable, non ?**

Fabrique ton propre didgeridoo

Il te faut :

- Un tuyau en PVC mesurant 1,60 m de longueur et 4 cm de diamètre
- Deux bougies
- Une casserole
- Un bol
- Un pot en verre (par exemple : un pot de confiture vide)
- Un pinceau
- De la peinture

1. Casse les bougies en petits morceaux et retire la ficelle. Dépose-les dans le pot en verre.
2. Remplis ta casserole d'eau (à un peu moins de la moitié) et mets le pot en verre au centre.

Pour les prochaines étapes, demande l'aide d'un adulte.

3. Fais chauffer l'eau à feu moyen jusqu'à ce que la cire soit complètement fondue.
4. Retire la casserole du feu et attends environ 20 minutes pour que la cire se refroidisse un peu.
5. Prends le bol et remplis-le d'eau froide.
6. Plonge doucement l'embouchure du tuyau dans la cire chaude en le faisant tourner sur lui-même.
7. Plonge-le ensuite dans l'eau froide pour faire figer la cire.
8. Répète les deux dernières étapes jusqu'à ce que le diamètre du tuyau ne soit plus que de 2 cm.
9. Décore ton didgeridoo avec de la peinture ou avec du carton que tu colleras sur l'instrument.
10. Souffle dans l'embouchure du tuyau que tu as enduit de cire pour faire vibrer ton didgeridoo.

Voilà qui va te faire vibrer un sourire !

LA BRANCHÉE

Me voilà sauveteur. Mon rêve !

Hum... le métier de sauveteur est moins palpitant que je le pensais.

C'est sûrement parce que tu surveilles une piscine vide !

Oh ! C'est rafraîchissant !

Eh !

Ahhh !

Tu n'aimes pas ma nouvelle valise ?
Euh...
Elle ne roule pas, elle marche ! Génial, non ?

Et c'est pratique pour ranger mes trucs !

ES-TU DANS LA VAGUE ?

SYDNEY COMPTE PLUS DE 70 PLAGES.

La plus connue est Bondi Beach. Il s'agit de la plage de surf la plus proche du centre-ville.

Les *Sydneysiders* s'y rendent pour se promener, faire du jogging, du surf ou simplement un brin de bronzette. En été, Bondi Beach est bondée de gens du matin jusqu'au soir. Comme la plage est près du centre-ville, les travailleurs peuvent même y venir prendre leur pause. À Bondi Beach les sauveteurs sont toujours sur un pied d'alerte, prêts à bondir à la moindre urgence.

Il est possible de faire du surf sur presque toutes les côtes d'Australie. Pas étonnant que le surf soit considéré comme un des sports nationaux du pays d'Oz.

LA « SURF ATTITUDE »

POUR LES AUSTRALIENS, LE SURF EST BIEN PLUS QU'UN SPORT. IL S'AGIT D'UN VÉRITABLE MODE DE VIE.

La branchée te livre ici ses secrets pour prendre la « surf attitude ».

1. Adopte le style. Pour avoir l'air d'un vrai surfeur australien, porte des lunettes de soleil, un tee-shirt et un bermuda.
2. Enduis-toi de crème solaire et laisses-en paraître une bonne couche sur ton nez.
3. Renseigne-toi sur les groupes de musique australiens de l'heure.
4. Sois relax. Un surfeur n'est jamais pressé. Il reste longtemps assis à contempler la mer et à attendre le bon moment pour prendre la vague.

Je t'ai écouté. Je me suis fait un habit 100 % recyclé !
C'est entièrement fait de papier d'aluminium. Tu aimes ?
Oui, mais...
Tu ressembles à une patate au four !

À LA MODE KANGOUROU

Le chandail kangourou se caractérise par la présence d'un capuchon et d'une poche ventrale. Ce type de vêtement aurait d'abord été confectionné dans les années 1930 pour des ouvriers travaillant dans des entrepôts réfrigérés de New York. Depuis, les grandes marques de vêtements de sport et la culture hip-hop ont repris le concept et ont grandement contribué à sa popularité.

Qui est le plus requin ?

IL EXISTE PLUS DE 350 ESPÈCES DE REQUINS DANS LE MONDE, DONT LA MOITIÉ VIT DANS LES EAUX AUSTRALIENNES.

Contrairement à ce que la plupart des gens croient, très peu d'espèces de requins représentent un danger pour l'homme. Parmi celles qui constituent une menace figurent le grand requin blanc, le requin tigre et le requin bouledogue.

Puisque les requins sont nombreux en Australie, il n'est pas impossible de se retrouver face à face avec ce colosse des mers, mais cela demeure un événement très rare. En fait, les humains sont bien plus dangereux pour les requins qu'inversement.

Alors que chaque année, 73 millions de requins sont tués par l'homme, c'est 20 personnes qui meurent à la suite d'attaques des requins. En fait, il est plus probable de se faire frapper par la foudre que de finir entre leurs dents.

Ces millions de poissons sont abattus pour leurs ailerons. Ceux-ci sont très prisés par les Asiatiques, qui s'en servent dans la préparation de certaines soupes. La surpêche est si intense que le grand requin blanc est menacé d'extinction. C'est pourquoi l'Australie en a fait une espèce protégée. Ces statistiques seront peut-être différentes le jour où les requins décideront de cuisiner de la soupe à l'humain !

AIMERAIS-TU TAQUINER LE GRAND REQUIN BLANC ?

En Australie, certaines compagnies offrent aux touristes la possibilité de plonger dans une cage pour observer ce dangereux prédateur en toute sécurité. Frissons et chair de poule garantis !

LA GEEK

Pourquoi lis-tu ton livre à l'envers ?

Parce que c'est une histoire renversante !
Euh...

Ça ne va pas?
Non...

J'ai le cafard.

J'ai une devinette mathématique, ça t'intéresse?
Oh tu sais, moi et les maths...

Que dit le chiffre 0 lorsqu'il rencontre le chiffre 8?
Je ne sais pas...

Oh! Tu as mis ta ceinture!

Devinettes

1) QUE DOIT-ON ÉVITER DE FAIRE DEVANT UN POISSON-SCIE ?

2) QU'EST-CE QU'IL NE FAUT JAMAIS ORGANISER DANS UN SOUS-MARIN ?

3) QUELLES SONT LES HISTOIRES PRÉFÉRÉES DES SIRÈNES ?

4) COMMENT APPELLE-T-ON UN BOOMERANG QUI NE REVIENT PAS ?

5) POURQUOI LES MAMANS KANGOUROUS N'AIMENT-ELLES PAS LES JOURS DE PLUIE ?

6) QUEL FRUIT LE POISSON DÉTESTE-T-IL ?

7) QUELLE SORTE DE POISSON N'A JAMAIS D'ANNIVERSAIRE ?

8) QUE FAIT LE MAÎTRE-NAGEUR QUI VEUT SAUVER UNE MOUCHE ?

1) LA PLANCHE 2) UNE JOURNÉE PORTES OUVERTES 3) CELLES QUI SE TERMINENT EN QUEUE DE POISSON 4) UN BÂTON 5) PARCE QUE LES ENFANTS SONT OBLIGÉS DE JOUER À L'INTÉRIEUR 6) LA PÊCHE 7) LE POISSON PANÉ (PAS NÉ) 8) LE MOUCHE À MOUCHE

Balade dans les nuages

LA TOUR DE SYDNEY MESURE 305 MÈTRES. IL S'AGIT DU PLUS HAUT BÂTIMENT DE CETTE VILLE.

L'ascenseur qui mène à l'observatoire du dernier étage de la tour ne met que 40 secondes pour propulser les visiteurs à 260 mètres d'altitude. Une fois là-haut, la vue sur la ville est à couper le souffle !

Une balade dans les nuages te fait envie? Aucun problème! Le « skywalk tour » t'emmènera au sommet de la plus haute attraction de Sydney, par l'extérieur. Tu pourras ainsi te promener à 268 mètres d'altitude en empruntant des passerelles et des plates-formes de verre. Cette aventure est tout à fait sécuritaire, car les participants portent des vêtements de protection et sont attachés aux passerelles par des harnais. Des guides expérimentés sont présents pour accompagner les marcheurs aériens.

Avoir Sydney à ses pieds, c'est inusité n'est-ce pas ?

L'opéra de Sydney

L'OPÉRA DE SYDNEY EST L'UNE DES PLUS CÉLÈBRES CONSTRUCTIONS DU XXe SIÈCLE.

Cet édifice est considéré comme un symbole de l'Australie et plus particulièrement de Sydney. Sa structure évoque soit une vague, un coquillage ou un voilier. Chacun peut y voir ce qu'il veut.

Dans les années 1950, Sydney désirait se doter d'un lieu d'envergure pour y recevoir de grandes productions musicales et théâtrales. Un concours international d'architecture fut alors lancé. Pas moins de 233 architectes, provenant de tous les pays, tentèrent d'impressionner le jury en présentant leur projet. C'est le Danois Jørn Utzon qui remporta la palme en proposant une architecture des plus originale et innovatrice.

Le chantier débuta avant même que l'on sache comment serait conçu le toit. En cours de construction, les architectes se rendirent compte que la structure ne serait pas assez solide pour le supporter. Il fallut donc dynamiter les fondations de l'Opéra et tout reprendre au début. À la suite de ces difficultés, les architectes durent développer de nouvelles technologies pour leur permettre de mener à bien le projet et d'y adapter le toit révolutionnaire imaginé par Utzon.

Plusieurs années après le début des travaux, Utzon quitta le chantier, car il ne s'entendait plus avec les autorités de Sydney au sujet du design et des coûts du projet. Utzon ne fut pas présent lorsque l'Opéra fut inauguré par la reine Élisabeth II, en 1973.

L'OPÉRA DE SYDNEY :

Une baignoire insensée !

AS-TU DÉJÀ REMARQUÉ QUE LORSQUE TU RETIRES LE BOUCHON DE LA BAIGNOIRE, L'EAU S'ÉCOULE EN FORMANT UN TOURBILLON ?

On raconte que le mouvement de ce tourbillon se ferait dans le sens des aiguilles d'une montre dans la partie sud de la Terre et en sens inverse dans la partie nord. Donc, l'Australie se trouvant dans l'hémisphère Sud, l'eau tourbillonnerait vers la droite.

Pour expliquer ce phénomène, on compare ce léger tourbillon domestique à celui des cyclones. En effet, les cyclones tournent toujours dans le sens horaire dans l'hémisphère Sud et dans le sens antihoraire dans l'hémisphère Nord. Étant donné que la Terre tourne sur elle-même, tout objet en mouvement tend à pencher d'un côté. C'est le cas du mouvement de l'air qui se trouve dans les cyclones. C'est ce qu'on appelle la force de Coriolis.

CETTE FORCE PEUT-ELLE ALORS INFLUENCER LE SENS DU TOURBILLON D'UNE BAIGNOIRE QUI SE VIDE SELON L'ENDROIT OÙ L'ON SE TROUVE SUR LA TERRE ?

La réponse est non ! La force de Coriolis agit très faiblement sur de petites masses comme le contenu d'une baignoire ou d'un évier.

Il est donc faux de dire que l'eau des baignoires s'écoule toujours dans le même sens. La forme d'une baignoire, la symétrie des parois et la façon dont on la remplit influencent bien plus le sens du tourbillon que la force de Coriolis.

Charade

MON PREMIER EST UN LIQUIDE TRANSPARENT
MON SECOND EST LE MOT « PAILLE » EN ANGLAIS
MON TROISIÈME EST UN MEUBLE SUR LEQUEL ON S'ALLONGE POUR DORMIR

MON TOUT EST LE 6e PLUS GRAND PAYS DU MONDE

RÉPONSE : EAU-STRAW-LIT (AUSTRALIE)

Une dragouille vient de survoler cette étrange forme.

DEVINE DE QUOI IL S'AGIT.

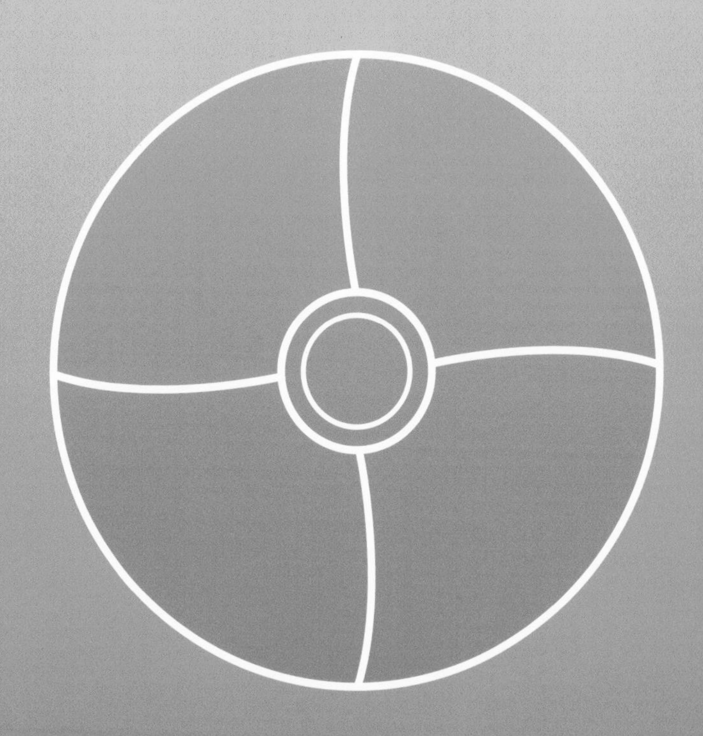

RÉPONSE : UN BALLON DE PLAGE VU DE HAUT

Le défi de la geek

Pour relever le défi, il te faut :

– un lavabo

– du colorant alimentaire.

COMMENT FAIRE ?

1. Mets le bouchon dans le fond du lavabo et remplis-le d'eau.

2. Attends qu'il n'y ait plus de mouvement dans l'eau.

3. Retire le bouchon et verse quelques gouttes de colorant vis-à-vis du trou du lavabo.

Le colorant te permettra de voir le tourbillon qui se forme lorsque l'eau s'écoule. Tu pourras même découvrir dans quel sens l'eau s'évacue.

TRUC DE PRO

Tu peux refaire le défi et donner le sens que tu souhaites au tourbillon. Pour réaliser cet exploit, avant de retirer le bouchon, fais tourner l'eau dans le sens désiré avec ton doigt ou une cuillère.

Attention, il y aura une vraie alerte météo dans ta

Le cuistot

Ça ne mord pas...
Veux-tu que je t'arrange ça ?
OK !
Aïe !

Pourquoi lances-tu
des fruits dans la mer ?

Je fais des fruits
de mer !

Voici un croque-ô-dile !
Et maintenant un sandwich à la dingue-ô !
Ensuite un Émeu-burger.

Drôles de petits pots

NEUF AUSTRALIENS SUR DIX AURAIENT UN POT DE VEGEMITE DANS LEUR GARDE-MANGER.

Le Vegemite est une pâte à tartiner faite à base de levure de bière. Cette pâte brun foncé est un ingrédient incontournable des petits-déjeuners australiens. Initiés très tôt dans l'enfance au Vegemite, les Australiens seraient les seuls à tartiner leur pain de cette surprenante mixture. Les seuls, à part les dragouilles, bien évidemment !

Les vertes de Sydney en mettent partout !

LE PLUS GROS HAMBURGER DU MONDE !

UN BAR AUSTRALIEN A BATTU LE RECORD DU PLUS GROS HAMBURGER DU MONDE. UN MASTODONTE DE 90 KILOS !

Pour élaborer ce gigantesque hamburger, il aura fallu la participation de quatre cuisiniers pendant une douzaine d'heures. Il faut voir aussi la quantité impressionnante d'ingrédients que cela aura nécessité ! Rien de moins que 81 kilos de viande hachée, 120 œufs et 150 tranches de fromage. Ce sont les employés de cet établissement qui se sont empiffrés de cet imposant hamburger.

Curieusement, l'histoire ne dit pas combien de maux de ventre il aura causé !

Toute une collaboration !

LE QUANDONG EST UN FRUIT ORIGINAIRE D'AUSTRALIE TOUT À FAIT UNIQUE. IL POUSSE DANS LES RÉGIONS ARIDES ET SEMI-ARIDES DU PAYS.

Ce fruit que l'on appelle aussi « pêche du désert » pousse dans un arbre qui dépasse rarement 5 mètres de haut. Lorsque le fruit est mûr, il est d'un beau rouge vif. Son goût s'apparente à celui de la pêche, de l'abricot ou de la rhubarbe.

Le quandong sauvage et l'émeu ont une relation très particulière. Ils ont besoin l'un de l'autre pour survivre. Monsieur l'émeu adore se délecter de ce fruit. C'est une bonne chose, car pour bien se développer, le quandong doit préalablement faire un petit séjour dans l'estomac de l'animal. Une fois que l'émeu a digéré le fruit, il défèque, expulsant du même coup la graine. La collaboration ne s'arrête pas là puisque les excréments de l'oiseau constituent un engrais parfait pour que l'arbre à quandongs pousse bien. Et comme l'émeu se déplace, il sème des graines un peu partout. Génial, non ?

Les quandongs sont aussi cultivés, mais cela reste difficile. Cette belle collaboration entre l'émeu et le quandong n'est pas facile à reproduire.

Ce succulent fruit rouge fait de bonnes confitures et de bonnes gelées. Il inspire aussi plusieurs chefs cuisiniers de grands restaurants de Sydney qui concoctent de savoureux desserts à base de quandongs.

Allez... Si tu sèmes un arbre, je promets de te faire de la confiture !

Petit-déjeuner à l'australienne

LE CUISTOT A DÉCOUVERT QUE LES BANANES SERVAIENT À AUTRE CHOSE QU'À JOUER DES MAUVAIS TOURS À SES COMPARSES.

Voir quelqu'un glisser sur une peau de banane peut être rigolo, mais déguster un désert cuisiné avec ce fruit est autrement plus plaisant.

Bien que le pain aux bananes ne soit pas d'origine australienne, ce dessert est incontournable partout dans le pays, aussi bien dans les restaurants, les cafés, que dans les foyers. Les Australiens le dégustent au petit-déjeuner, en tranches tartinées de beurre. « It's delicious ! »

Recette

Il te faut :

- 125 ml (1/2 tasse) de bananes écrasées
- 125 ml (1/2 tasse) de beurre mou
- 2 œufs
- 60 ml (1/4 tasse) de lait
- 500 ml (2 tasses) de farine
- 4 ml (3/4 c. à thé) de bicarbonate de soude
- 250 ml (1 tasse) de sucre
- 3 ml (1/2 c. à thé) de poudre à pâte
- 1 pincée de sel
- 5 ml (1 c. à thé) de vanille

1. Allume le four à 190 °C (375 °F).
2. Écrase les bananes avec une fourchette et mesure-les.
3. Mets-les ensuite dans un grand bol et ajoutes-y le beurre mou, le sucre, les œufs, le lait et la vanille. Mélange bien après chaque addition.
4. Dans un autre bol, mélange la farine, le bicarbonate de soude, la poudre à pâte et le sel.
5. Ajoute les ingrédients secs au mélange de bananes, par petites quantités.
6. Mélange bien la préparation.
7. Enduis un moule à pain d'un peu de beurre et saupoudre le moule d'un peu de farine (5 ml / 1 c. à thé à peu près). Verses-y la préparation.
8. Fais cuire environ 60 minutes. Pour vérifier si ton pain aux bananes est bien cuit, enfonce un couteau pointu au centre. S'il en ressort sec, ton pain est prêt!

   N'ouvre pas la porte du four avant 50 minutes.

LA REBELLE

Le dingo est une sorte de chien sauvage vivant en Australie.

À ce qu'il paraît, on peut briser une coupe en verre en chantant une note très aiguë !

Laaaaaaaaaa !

Finalement, c'est bien plus simple comme ça !

Regarde, je vais lancer le boomerang et il va revenir.

Oh ! Il va loin...

J'abandonne.
Zzz...

Kangourou fou fou fou !

LE KANGOUROU EST UN DES EMBLÈMES DE L'AUSTRALIE.

Le kangourou fait partie du groupe de mammifères que l'on nomme les marsupiaux. Cette appellation désigne les mammifères dont les femelles possèdent une poche ventrale : le marsupium. Il s'agit des plus vieux mammifères du monde et la plupart d'entre eux vivent en Australie.

La famille des kangourous est constituée d'une soixantaine d'espèces. À la naissance, le bébé kangourou ne mesure que 2 cm. C'est à peu près la taille d'un haricot ! Pour rejoindre la poche ventrale de sa mère, il rampe sur sa fourrure. Il y continuera son développement, bien au chaud, jusqu'à l'âge d'environ six mois. En Australie, le kangourou mâle est appelé *boomer*, la femelle, *flyer*, et le jeune, *joey*.

Comme les kangourous sont nocturnes, ils sortent le soir et la nuit pour brouter.

Les kangourous se déplacent en bondissant. Leur queue sert de balancier lorsqu'ils sautent et d'appui lorsqu'ils sont au repos. Ces habiles sauteurs peuvent faire des bonds atteignant 3 m de haut et 9 m de long. En revanche, ce n'est que lorsqu'ils doivent fuir qu'ils accomplissent de tels exploits.

UN MALENTENDU QUI FAIT BONDIR !

On raconte que le nom « kangourou » provient d'un drôle de malentendu. À leur arrivée en Australie, les premiers explorateurs auraient demandé aux aborigènes de leur dire comment se nommaient ces curieux animaux. Les aborigènes auraient répondu *gangurru* qui aurait alors signifié « je ne comprends pas ta question ». Les Européens auraient retranscrit cette expression « kangaroo » et pensé qu'il s'agissait du nom de l'animal. Quoique rigolote, cette histoire ne serait qu'une légende.

LE CALEÇON KANGOUROU

Le kangourou aurait inspiré, en 1944, les équipes de la compagnie Munsingwear dans la création du célèbre caleçon muni d'une poche à ouverture horizontale. Un modèle encore très populaire aujourd'hui.

DU KANGOUROU AU MENU

Savais-tu qu'il était de plus en plus facile de trouver de la viande de kangourou à mettre dans son assiette ? Dans un restaurant de Sydney, il est même possible de commander de la soupe à la queue de kangourou. Crois-tu qu'on ressort de ce restaurant en sautant ?

PAUSE PITOU

LE BONES CAFÉ DE SYDNEY EST LE PREMIER RESTAURANT D'AUSTRALIE OÙ LES CHIENS PEUVENT AMENER LEUR MAÎTRE PRENDRE UN CAFÉ.

En 2000, deux femmes se rencontrent dans un parc pour chiens et se lient d'amitié. Au fil de leurs discussions, elles imaginent un endroit où elles pourraient s'asseoir manger un morceau sans être obligées de laisser leur chien en laisse, à l'extérieur de l'établissement.

Elles décident donc d'ouvrir un café où, sur la terrasse, les chiens sont libres de se promener entre les tables. Leur devise : « Si c'est bon pour les humains, c'est bon pour les chiens ! »

Au Bones Café, les chiens peuvent déguster un *Puppacino*. Il s'agit d'une boisson recouverte de mousse sur laquelle des fines herbes sont saupoudrées. Ces gentilles bêtes poilues peuvent aussi savourer de petites bouchées au foie faites maison. Rassure-toi, le menu pour les maîtres es
différent. On y trouve des sandwichs, des desserts, de

CE QU'IL Y A DE PLUS INUSITÉ DANS CE CAFÉ EST SANS DOUTE LA POSSIBILITÉ QU'ONT LES GENS DE VENIR Y FÊTER L'ANNIVERSAIRE DE LEUR CHIEN.

Oui, oui c'est sérieux ! Pour l'occasion, pitou peut inviter ses copains chiens et partager un *bone cake*. Ce gâteau est fait de viande hachée et de farine. Son glaçage est au fromage à la crème et aux asperges. Tous les chiens invités portent un chapeau et tout le monde chante « bon anniversaire ». À moins que ce soit « bon anniverchien » ! L'histoire ne dit pas si le fêté doit souffler ses bougies ou les lécher !

En Australie, pas d'été sans cricket !

IL EST ICI QUESTION DU SPORT ET NON DE L'INSECTE. QUOIQU'UN CRIQUET JOUANT AU CRICKET, ÇA POURRAIT ÊTRE TRÈS DRÔLE !

Le cricket est un sport très populaire en Australie. L'équipe nationale australienne est d'ailleurs considérée comme une des meilleures au monde.

Ce sport se pratique avec une balle et une batte. La batte est un manche de bois qui ressemble à une rame dont les joueurs se servent pour frapper la balle. Au cricket, deux équipes de 11 joueurs s'affrontent sur un terrain de forme ovale. Une partie se divise en plusieurs manches au cours desquelles chaque équipe tente de marquer plus de points que l'équipe adverse.

En Australie, ce ne sont pas que les professionnels qui jouent au cricket. Les adultes autant que les enfants s'y adonnent à la plage et dans les parcs.

L'ÉTÉ, LA FIÈVRE DU CRICKET SE RÉPAND PARTOUT DANS LE PAYS.

Les supporteurs se rendent dans les stades ou regardent la partie à la télévision. Ils se réunissent aussi dans les cafés ou les bars pour voir leur équipe favorite à l'œuvre sur écran géant. Une chose est certaine, si tu te rends en Australie en été, tu constateras à quel point le cricket est omniprésent dans les conversations.

Je suis le pro
du lasso !

OK... pas si
pro que ça...

Travaillons un peu notre bronzage.

Snif, snif... Ça sent le brûlé !

Euh... je pense que j'ai un peu exagéré !

Au revoir

Une vague de dragouilles déferle sur vous pour vous dire au revoir et vous faire dériver vers de nouvelles aventures en compagnie de nos petites bêtes cornues.

En attendant ce prochain rendez-vous, n'oubliez pas de lever les yeux vers le ciel de temps en temps. On ne sait jamais qui pourrait être en train de vous observer !

GLOSSAIRE

Aborigènes : peuples qui vivent dans un pays depuis ses origines.

Aérophone : instrument de musique à vent.

Bone : os.

Cake : gâteau.

Eucalyptus : arbre à feuilles odorantes.

Hémisphère : moitié du globe terrestre.

It's delicious : c'est délicieux.

Onomatopée : mot qui imite un bruit.

Surpêche : pêche excessive pratiquée par l'homme.

Sydneysiders : habitants de la ville de Sydney.

LES CRITIQUES SONT UNANIMES...

« CE TOME EST ÉMOUVANT. »

- UN ÉMEU ÉMU

« CE LIVRE EST TELLEMENT RENVERSANT QUE JE L'AI LU LA TÊTE À L'ENVERS ! »

- MARIKA, UNE FILLE RENVERSÉE

« JE N'AIME PAS LES DRAGOUILLES. MON MAÎTRE NE ME DONNE PAS D'AFFECTION LORSQU'IL Y TRAVAILLE. »

- LOLA, LE CHIEN DE MAX

« JE N'EN REVIENS PAS TELLEMENT C'EST DRÔLE ! »

- UN BOOMERANG PERDU

LES DRAGOUILLES
LES ORIGINES
1
MAXIM CYR &
LES DRAGOUILLES
LES BLEUES DE MONTRÉAL
2
ÉDITIONS MICHEL QUINTIN
DRAGOUILLES
LES JAUNES DE PARIS
3
LES DRAGOUILLES
LES ROUGES DE TOKYO
4
DRAGOUILLES
LES ORANGÉES DE DAKAR
5
LES DRAGOUILLES
LES VERTES DE SYDNEY
6

Catalogage avant publication de Bibliothèque et Archives nationales du Québec et Bibliothèque et Archives Canada

Cyr, Maxim

Les dragouilles

Sommaire: 5. Les orangées de Dakar -- 6. Les vertes de Sydney.
Pour enfants de 7 ans et plus.

ISBN 978-2-89435-512-1 (v. 5)
ISBN 978-2-89435-513-8 (v. 6)

I. Gottot, Karine. II. Titre: III. Titre: Les orangées de Dakar. IV. Titre: Les vertes de Sydney.

PS8605.Y72D72 2010 jC843'.6 C2009-942530-0
PS9605.Y72D72 2010

Le Conseil des Arts du Canada
The Canada Council for the Arts

Patrimoine canadien
Canadian Heritage

La publication de cet ouvrage a été réalisée grâce au soutien financier du Conseil des Arts du Canada et de la SODEC. De plus, les Éditions Michel Quintin reconnaissent l'aide financière du gouvernement du Canada par l'entremise du Fonds du livre du Canada pour leurs activités d'édition.

Gouvernement du Québec – Programme de crédit d'impôt pour l'édition de livres – Gestion SODEC

ISBN 978-2-89435-513-8

Dépôt légal – Bibliothèque et Archives nationales du Québec, 2011
Dépôt légal – Bibliothèque et Archives Canada, 2011

Éditions Michel Quintin
C.P. 340, Waterloo (Québec)
Canada J0E 2N0
Tél.: 450 539-3774
Téléc.: 450 539-4905
editionsmichelquintin.ca

1 1 - W K T - 1

Imprimé en Chine